by **James Robertson** *illustrations by* **Jojo Norris**

B!GSKY
PRESS

THIS is the tale o a young laddie cried Neil. He bides in a wee white hoose, aw on its ain beside the sea.

There's twa ither folk that bide in the hoose wi him: yin o them is Neil's Granny, and the tither is a wee grey Cat.

The hoose staunds atween the sea and a muckle mountain, cawed the Ben. There's the sea, then the hoose and its gairden, then a widd, and then the Ben. And aw the wey frae the Ben, doon through the widd and past the hoose tae the sea, runs the burn.

Faur up on the Ben, there bides a fine muckle beast, strang and swift and prood, and that's the Stag. And doon in the sea, close tae the wee white hoose, is a shy, sleekit craitur that sometimes paps her heid oot o the watter tae see whit's gaun on, and that's the Selkie.

Whenever Neil gangs oot, intae the gairden or doon tae the beach, he aye pits on his blue bunnet wi its bricht reid toorie on the tap. If ye were a bird, ye could see him onywhaur – and there *is* a bird, the Craw. The Craw is crabbit and girny. He bides in an auld aipple tree in the gairden.

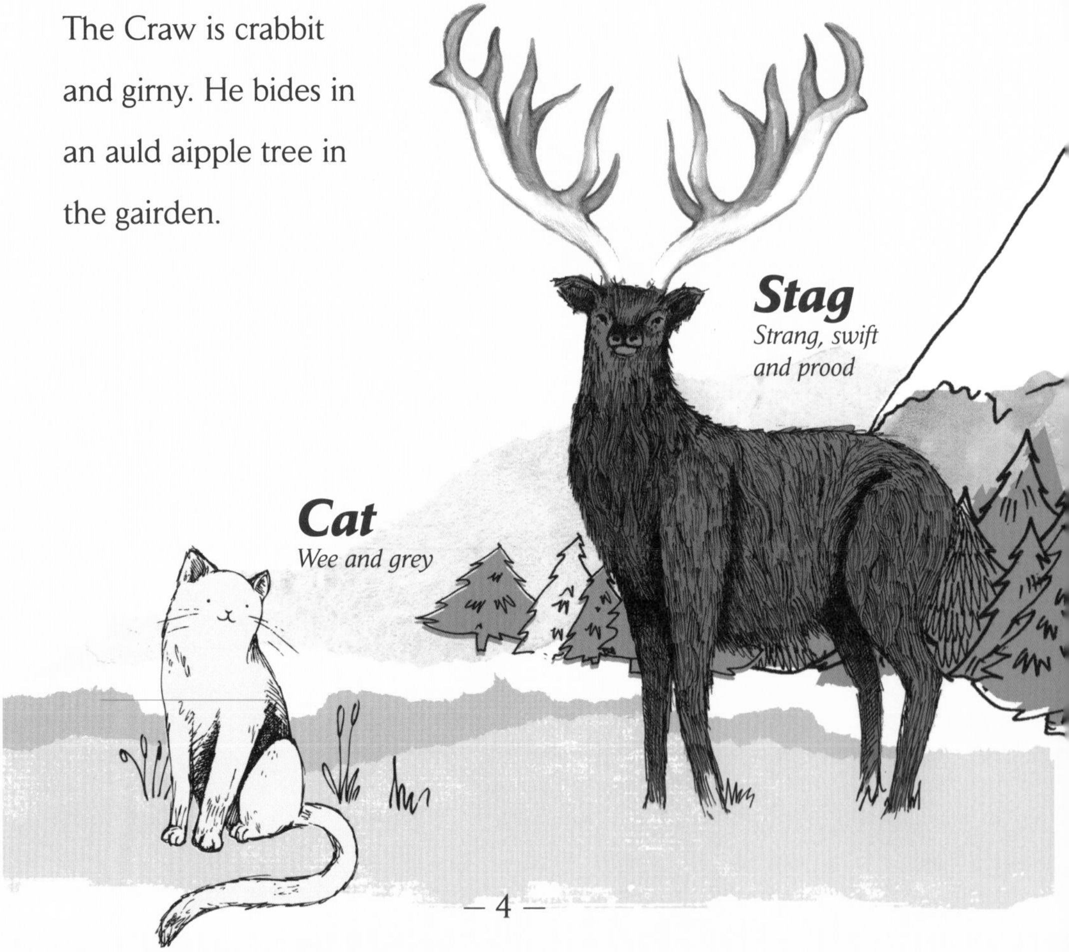

Stag
Strang, swift and prood

Cat
Wee and grey

There is yin mair beast that ye need tae ken aboot, and that is the Urisk. The thing aboot the Urisk is, naebody kens for certain whit it is. Sae ye'll need to keep yer lugs open, because the wan thing ye can be shair aboot is that ye dinna want the Urisk creepin up on ye ahint yer back. Naw, ye dinna want that at aw.

Sae that's aw the different folk and aw the different craiturs. And noo that ye ken aboot them, we can get on wi the rest o the tale.

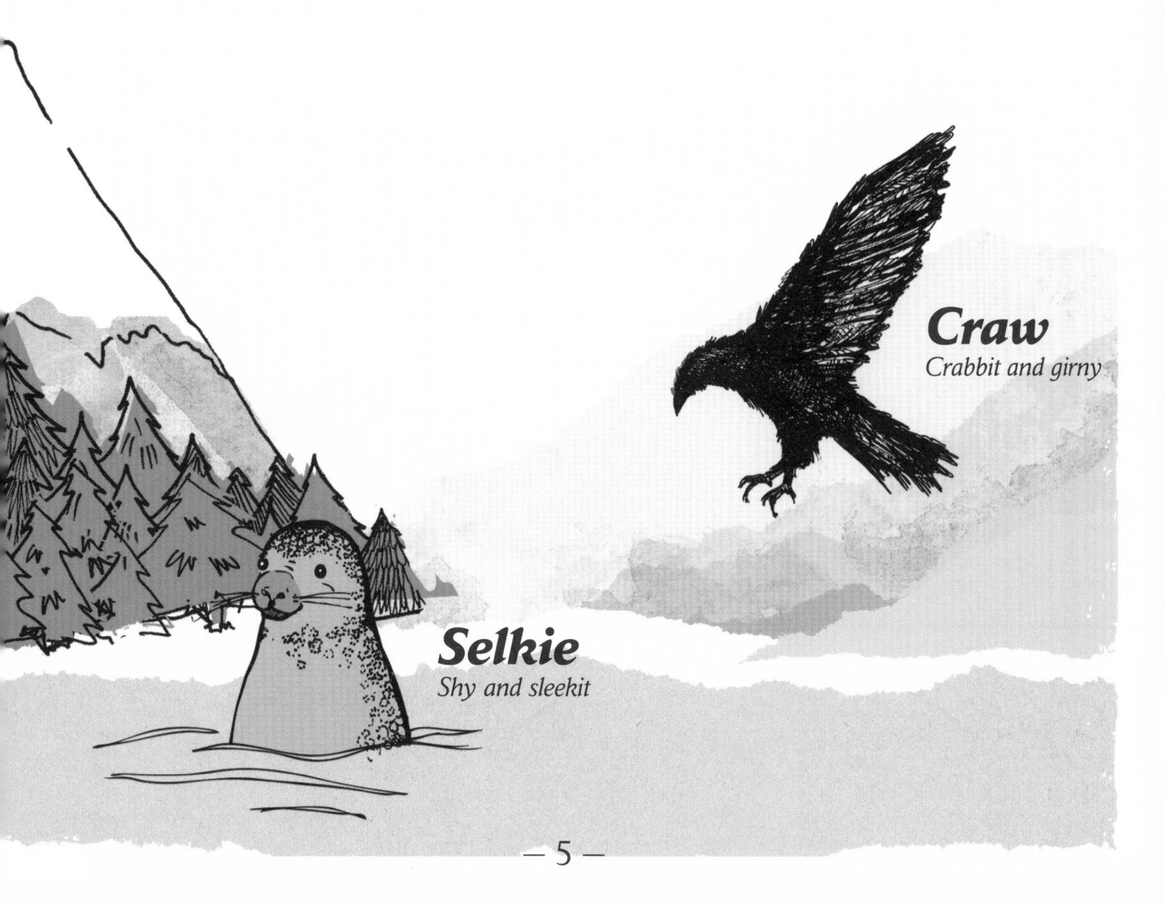

YIN cauld mornin, Neil keeked oot o his windae, and saw that the Ben wis clad in a fine new white cloak that wis skinklin in the sunlicht. It wis the first snaw o winter. Neil pit on his claes and gaed doon tae the kitchen whaur his Granny wis busy makkin breid and the Cat wis sleepin in front o the fire.

When he had feenished his breakfast, Neil asked his Granny if she wid tell him a story. 'Tell me aboot the Urisk, Granny,' he said.

The Urisk wis a fierce, wild beast that steyed in the deepest, daurkest pairt o the widd: its tap hauf wis like a man and its bottom hauf wis like a goat, and it had horns and hairy shanks and lang sherp teeth and it slaivered and snochtered as it roamed through the trees lookin for wee laddies tae hae for its supper.

That's whit Neil's Granny had tellt him onywey, but no the day. The day she wis faur ower thrang tae tell him a story. She had a waashin tae dae, and claes tae mend and the hoose tae clean and logs tae chap, and she widna be done till tea-time.

'Oot ye gang, oot ma road,' she said. 'Awa doon tae the beach tae play. And tak yon Cat wi ye.' Sae Neil took his blue bunnet wi the reid toorie frae the hook on the back o the door, and he and the Cat gaed oot.

Doon at the beach they played a game o tig for a while. Neil threw some stanes intae the sea, jist tae see hoo faur he could throw them. But then the Selkie pit her heid up, hechin and pechin, and Neil stapped, for he didna want tae hit her by mistake.

Nixt, Neil and the Cat ran alang the beach as fast as they could, and the Selkie swam beside them through the watter. Efter aw that, Neil made his wey back tae the hoose. The Cat settled doon by the fire yince mair, but Neil stepped oot intae the gairden.

Weel! Whit wis there but the bonniest, brawest craitur Neil had ever seen in his life! It wis staundin on the tither side o the stane dyke that ran roond the gairden. It wis the Stag. He had a muckle handsome heid, and strang shooders and a braw russet coat, and on his heid he had a fine perr o antlers, wi sax sherp points on each yin.

The Stag wis richt near the auld aipple tree whaur the Craw had his hame. There wis a few aipples aye on the tree that the Craw wis hopin tae hae tae eat aw through the winter. But as Neil watched, the Stag raxed up his mooth and poued an aipple aff the tree, and ate it. He did the same thing wi a saicont aipple, and a third!

The Craw wis up on the lum o the hoose and when he saw whit the Stag wis daein he wis mad. He craiked and skraiked and girned, but the Stag wisna fashed. He jist cairried on eatin the aipples. Neil laughed when he saw hoo crabbit the Craw wis gettin, but when the Stag heard Neil's laugh, and saw him, he got a fleg and ran awa. For he had yince been shot at by hunters, and he didna like it whenever a human got ower close.

Neil didna want the Stag tae run awa. He wantit tae mak freens wi him. Sae he hurried tae the yett in the stane dyke, opened it, and follaed efter the Stag.

The Craw wis angry wi Neil for laughin at him. He thocht that the aipples were his, and naebody else should hae ony o them. He decided tae teach Neil a lesson. Sae he flew efter Neil, keepin a wee distance ahint him, watchin the reid toorie on his blue bunnet as he mairched alang.

The Stag cam tae the burn. He lowped ower it and trotted intae the trees. The burn wis ower wide for Neil tae lowp, but jist nearby wis a widden brig and he ran ower it. *Clattery-blattery* gaed his bitts on the brig. He wis noo at the edge o the widd, the furthest he had ever been frae the hoose.

On they gaed, the Stag, Neil and the Craw, and Neil wisna thinkin aboot onythin forbye keepin the Stag in his sicht.

The deeper intae the widd they gaed, the bigger and daurker the trees became, the mair the wund whustled and crooned through the brainches, and the caulder the air seemed tae growe. Neil began tae feel wabbit. He had been walkin for a lang while noo, and the Stag wisna that easy tae see in amang the trees. And the path wis fou o stanes and roots tae trip ye up.

And then it ran oot awthegither.

Aw o a sudden, the Craw swooped doon and wi his neb liftit the bunnet frae Neil's heid and flew awa! Neil chased efter him. He wisna faur ahint when – CRACK! – he caught his fit on a root and fell heelstergowdie doon the brae.

When he stood up, the first thing he kent wis that his fit wis sair. And then he heard the Craw, wha wis sittin haufwey up a tree, wi the bunnet hooked on a brainch, craikin and squaikin wi laughter.

But there wis somethin else that Neil kent as he stood in the clearin in the middle o the daurk widd. He kent he wis lost.

He sat doon and had a think tae himsel. He couldna gang on, because his fit wis hurtit, and he couldna gang hame because he didna ken the wey. And he wis awfie, awfie wabbit.

The Stag heard the Craw laughin and cannily he cam back tae the clearin in the trees. There wis the laddie that had been follaein him, streekit oot on the grund, fast asleep.

The Stag kent it wis ower cauld for a wee laddie tae stey there lang. The wund wis gettin mair and mair strang, and there were wee flecks o snaw in the air. Soon the nicht wid be comin on tae. Whit wis the Stag tae dae? He wis feart tae gang back tae the white hoose, in case somebody shot at him. But hoo else could he let onybody ken whaur the boy wis?

He had an idea. He wid send the *bunnet* back tae the hoose. Wi the very tip o yin o his antlers he unhooked the bunnet frae the brainch, and then he ran tae the burn, and drapped the bunnet in. Aff the bunnet sailed, awa doon the watter.

Weel, the Craw wis mad at the Stag, and cawed him lots o rude names. But the Stag roared back at the Craw: it wis *his* faut for stealin the bunnet and makkin the laddie chase him and faw ower and hurt himsel.

The truth o it wis, they baith felt guilty. Sae the Stag said, 'I'll bide here wi the boy, and mak shair he doesna freeze.'

And the Craw said, 'I'll awa efter the bunnet, and mak shair it gets aw the wey tae the sea.' And awa he flew.

Sometimes the bunnet gaed fast, breengin and shooglin ower linns, and the Craw could haurdly keep up. And sometimes it gaed slow, birlin gently across a deep daurk pool till the Craw grew angry at it, and skraiked at it tae hurry alang and shift itsel. He couldna pike it oot and flee wi it, because it wis that drookit noo it wis ower heavy for him tae lift.

The wund wis real fierce noo. It whustled and howled, and it began tae brak brainches aff some o the trees and fling them doon on the grund. The Stag heard the brainches brakkin – and he got a fleg, for it mindit him o when the hunters had fired their guns at him. And whit did the big, bauld, bonnie Stag dae? He ran awa!

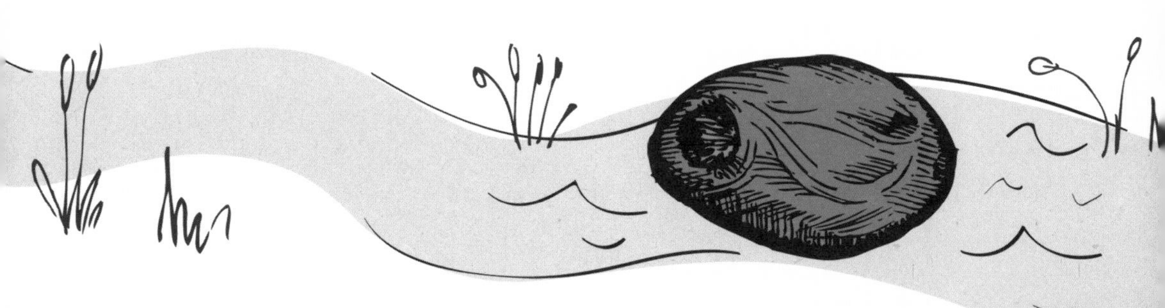

The wund rattled and battered through the trees. Neil woke up. He wis alane, and it wis gettin mirk and gloomy. Och, noo he wisna sae brave! The trees were bendin and lowpin like mad dancers, and the widd wis shoutin at him in a hunner different voices. And then, in amang aw this dirdum, he heard anither soond. Whit wis it? It wisna like onythin he'd ever heard afore – an uncanny, crunchin, creepin, slaiverin soond. And he thocht he saw somethin oot the corner o his ee, a shadowy shape, and he mindit his Granny's tales aboot the Urisk, and here he wis in the deep, daurk middle o the widd, and that wis jist whaur the Urisk steyed. And the muckle shape wis comin closer, and the uncanny soond wis gettin looder, and Neil's fit wis ower sair for him tae run awa. Aw he could dae wis lie as still and wee as he could as the thing drew near, until it wis that close tae him he could hae raxed oot and touched it...

Meanwhile, the Craw wis follaein the bunnet as at last it floated intae the sea. The Craw skraiked at the Selkie, 'Quick! Catch the bunnet!' The Selkie caught it in her mooth, then swam tae the beach and drapped the bunnet on the saund. The Craw flew tae the hoose and skraiked tae the Cat. 'Quick! Come and fetch the bunnet!' The Cat ran doon tae the beach, picked up the bunnet, and cairried it back tae the hoose.

Granny wis makkin a muckle pan o broth. Wheniver she saw the Cat wi the bunnet, she kent somethin wis wrang. The Craw flapped his wings and craiked and skraiked, and the Cat yowled and howled at her. Granny took the bunnet and wrung it oot and hung it up tae dry. Then she pit on her coat and took her guid strang walkin-stick and follaed the Craw and the Cat.

Oot intae the gairden they gaed, through the yett, ower the brig an intae the widd. It wis awfie daurk gettin noo, and Granny wis feart that she widna find Neil. But the Craw flew in front, and at lang and last, Granny and the Cat cam intae a clearin in the trees. Whit did they see? They saw Neil, fast asleep, cooried in tae the Stag, keepin the wee boy waarm.

When the Stag saw Granny he stood, bowed his muckle heid tae her, then turnt and strode aff intae the trees.

Wi the Stag nae langer beside him Neil felt cauld, and he woke up. Hoo happy he wis tae see his Granny! He hirpled ower and got a muckle hug frae her.

'Whaur's ma bunnet?' he said. Granny tellt him it wis back at the hoose, gettin dry. 'Let's awa hame then,' Neil said, and he, Granny, the Cat and the Craw made their wey back tae the hoose in the gloamin.

It took them a gey lang while, because Neil's fit wis that sair that he had tae haud on tae his Granny as he walked. They were aw jist wabbit and forfochen by the time they got hame.

In the wee white hoose, Granny pit a bandage on Neil's fit, and Neil pit his bunnet back on his heid, and he wis happy again. And while he sat wi his fit up on a stool, Granny and the Cat danced a jig aw roond the kitchen thegither. Then Granny pit the broth on tae heat.

'Noo Neil,' she said, 'sit ye doon at the table and I'll tell ye a tale.'

'Whit's it aboot?' he said.

'A boy and his Granny,' she said, 'that bide in a wee white hoose beside the sea. There's a Cat that bides wi them, and a Craw that bides in the aipple tree in the gairden. And the tale is aboot hoo that boy lost his bunnet and then fund it again. Or mibbe it's aboot hoo the bunnet lost the boy and fund *him* again. If ye listen weel, ye can hear awbody that's in the hoose, and ye can hear the Craw in his tree. And if ye listen *awfie, awfie* weel, ye can hear twa ithers tae. Wheesht! Wha's that? It's the Selkie swimmin in the sea. And wheesht! Wha's *that*? Is that whit I think it is? Naw! It canna be! It's the Stag, staundin in the snaw at the tap o the Ben. Can ye hear him? Guid. Sae noo I'll begin.'

Granny's Glossary

A

ahint . . . . behind
atween. . . . . between
awthegither. . . . . altogether
aye. . . . . yes, always *or* still *(depending on context)*

B

ben . . . . mountain
bides . . . . lives
birlin . . . . spinning
brae . . . . hill *or* slope
braw . . . . fine, splendid
breengin . . . . rushing
brig . . . . bridge

C

cannily. . . . . cautiously
claes . . . . .clothes
crabbit. . . . . .grumpy *or* bad-tempered
craiked . . . . croaked
craitur . . . . .creature
cried . . . . called

D

dirdum . . . . racket, noise
drookit . . . . soaked, drenched
dyke . . . . wall

E

een . . . . eyes

F

fashed . . . . bothered
faut . . . . fault
fleg . . . . fright
forbye . . . . except
forfochen . . . . exhausted

G

gaed . . . . went
gang . . . . go
gaun . . . . going
gey . . . . very
girned . . . . moaned
girnin. . . . . . moaning, complaining
gloamin . . . . twilight

H

hechin . . . . huffing
heelstergowdie . . . head over heels
hirple . . . . limp

K

keeked . . . . looked

L

linns . . . . waterfalls

lowp . . . . leap, jump
lum . . . . chimney

M

mirk . . . . dark
muckle . . . . big

O

ony . . . . any
onywey . . . . anyway
onywhaur . . . . anywhere
ower . . . . over *or* too

P

paps . . . . pops
pechin . . . . puffing
pits . . . . puts

R

raxed . . . . reached, stretched
reid . . . . red
russet . . . . reddish-brown

S

saicont . . . . second
sax . . . . six
selkie . . . . seal
shair . . . . sure
shanks . . . . legs
shoogle . . . . shake
skinklin . . . . shimmering, shining
skraiked . . . . screeched
slaivered . . . . drooled
sleekit . . . . smooth *or* sly *(depending on context)*
snochtered . . . . snorted
stane . . . . stone
staund . . . . stand
streekit . . . . stretched

T

thegither . . . . together
the tither . . . . the other
toorie . . . . pom-pom
twa . . . . two

W

waarm . . . . warm
waashin . . . . washing
wabbit . . . . tired out

Y

yett . . . . gate
yin . . . . one
yince . . . . once

Scots language

This story is written in the Scots language, usually jist cawed Scots. If this is the first time ye've read Scots on the page it micht look a wee bit strange tae ye, but it'll soond mair familiar when ye hear it read aloud (if yer book has a CD ye'll be able tae hear it).

Scots has been aroond for hunners o years and is spoken by thoosans o folk, young and auld, on a daily basis – maybe ye already ken some (or aw) o the words fae this story, or hae heard them used by ither folk. Mony folk in Scotland speak baith Scots and English, and they aften use a mixture o baith. Some feel maist at hame speakin Scots amang their freends and faimly.

Scots wis the language used by Robert Burns tae write much o his poetry, and ye'll still hear it spoken the-day as ye're gaun aboot the streets, and in shops, schuils, and hooses aw ower the country. And ye'll hear it as weel on TV programmes like *Chewin' the Fat,* on the radio, and in interviews wi Scottish sports and film stars. And nae doot ye'll speak it yersel tae.

There are some guid Scots dictionaries that show hoo mony different words there are in the language – lang words jist as braw as the likes o *snochterin* and *heelstergowdie* that ye'll find in this book, and wee words like *wee, coo, dug* and *oot.* When ye pit aw these words thegither ye hae a language – Scots.

Scots music

The Boy and the Bunnet is even better when ye hear the wonderful music James Ross has composed for it featurin traditional musical instruments and music styles fae Scotland.

The *clarsach* is a wee harp and maks a bonny, gentle soond (the Selkie on the CD), but the *accordion* can gie ye quite noisy, harsh soonds (like the Craw skraikin). The *fiddle* (or violin) is a gey popular instrument for composers and musicians, and is grand for playin dance tunes, especially accompanied by the accordion.

The pipes are probably the maist famous traditional Scottish instrument and produce a rich, skirlin, distinctive (and loud!) music. The best-kent type is the *Highland bagpipes,* which are played staundin up or mairchin up and doon.

On the CD whit ye hear are the *Lowland (or Border)* pipes (as the Stag) – these are quieter and ye play them sittin doon, usin yer elbow tae squeeze bellows unner yer airm tae fill the bag, insteid o blawin through yer mooth.

In traditional music there are different musical styles such as the Strathspey, the Reel, the Jig, and the March. At **www.theboyandthebunnet.com** ye can find oot mair aboot them, and ye can hear aw the musicians speakin aboot their instruments and the characters fae the book.

Scots folklore

The *Selkie* and the *Urisk* in this book are twa characters fae Scottish folklore and mythology. Ye may hae come across ithers such as *kelpies, brownies* and *changelings.* There are dozens o stories and myths fae aw the airts o Scotland. Some folk will even tell ye that the *Loch Ness Monster* is a myth, but we're no sae sure…

The Urisk wis said tae be hauf man and half goat, wi lang sherp teeth and awfie hairy, but he wanted tae mak freends wi people and didna mean tae fleg them. In some stories a selkie is a seal that can change itself intae a human – usually a bonnie lassie – jist by takkin aff its skin. If ye look on-line or in yer local library or schuil library ye'll find plenty o braw books o Scottish stories. Or learn mair aboot storytelling in Scotland at **www.scottish storytellingcentre.co.uk**.

If yer book doesna hae a CD attached, ye can buy yin fae www.theboyandthebunnet.com

Mair information

James Robertson has been writin stories and poems since he wis a laddie himsel. He writes books for baith young readers and adults, includin novels like *The Testament of Gideon Mack* and *And the Land Lay Still*. In 2002 he co-foondit the imprent Itchy Coo, which maks braw books in Scots for bairns o aw ages tae read. He has translatit Roald Dahl's *Fantastic Mr Fox* as *The Sleekit Mr Tod* and A.A. Milne's twa Winnie-the-Pooh books as weel. He steys in Angus. If ye'd like tae find oot mair aboot James and Itchy Coo go tae **www.itchycoo.com**.

Jojo Norris loves tae draw. She's aye tae be foond in the wee sma oors happit up in a lang windin scarf and surroondit by hot cups o tea, drawin onythin fae daurk, scary widds tae sleekit tods an girnin walruses. Jojo wis a student at Edinburgh College of Art. Noo she bides in Nottingham. She loves the skirl o bagpipes and the taste o vegetarian haggis, and she sairly misses Edinburgh and wants tae keep her strang connection wi Scotland. Ye can find oot mair aboot Jojo's work at **www.jojonorris.com**.

There's a wheen mair information for ye at **www.theboyandthebunnet.com** includin videos fae the musicians, dates o performances o the show, and ideas for teachers tae doonload. Ye can also get copies o the book or CD in Scots and Gaelic there, and it'll let ye ken aboot ither items and events when they happen. If ye want tae ken mair aboot the Scots language hae a keek at **www.scotslanguage.com**, **www.scottishdictionaries.org.uk** and **www.scuilwab.org.uk** for sterters (Scuilwab is gey bairn-freendly). For mair on Scots traditional music ye can try **www.tmsa.org.uk** and **www.footstompin.com**, and **www.feisean.org** will show ye whaur ye can stert learnin tae play yersel!

The Boy and the Bunnet project wis Bryan Beattie's idea and this book widnae hae happened wioot Fiona Fowler. It's published by Big Sky (mair on them at **www.big-sky.co**) – they jist love Scotland.

The book wis designed, coloured and typeset by The 16K Design Works in Edinburgh, **www.16kdesign.com**. They're awfie guid, and Paul and John are braw fowk tae work wi.
